Junie E

Capitaine d'équipe

Junie B. Jones
Capitaine d'équipe

Barbara Park
Illustrations de Denise Brunkus

Texte français d'Isabelle Allard

Éditions
■SCHOLASTIC

Avec tous mes sourires, ma tendresse et d'affectueuses
pensées à un vrai superhéros, Andrew Park

Catalogage avant publication de Bibliothèque et Archives Canada

Park, Barbara
Junie B. Jones, capitaine d'équipe / Barbara Park;
illustrations de Denise Brunkus;
texte français d'Isabelle Allard.

(Junie B. Jones)
Traduction de : Junie B. Jones is Captain Field Day.
Pour enfants de 7 à 10 ans.
ISBN 978-0-545-99293-0

I. Brunkus, Denise II. Allard, Isabelle III. Titre.
IV. Collection: Park, Barbara. Junie B. Jones.

PZ23.P363 Juniec 2008   j813'.54   C2008-900680-1

Édition publiée par les Éditions Scholastic,
604, rue King Ouest, Toronto (Ontario) M5V 1E1.

5 4 3 2 1   Imprimé au Canada   08 09 10 11 12

Préservons notre environnement

Scholastic Canada a choisi d'imprimer ce livre sur du papier recyclé et a
réduit sa consommation de ressources[1] et sa pollution[1] dans les mesures suivantes[1]:

Imprimé sur du papier
contenant 30 % de
matériaux recyclés

6 arbres de nos
forêts ont été sauvés.

	énergie	eau	gaz à effet de serre	déchets solides
	4 millions de BTU	8 732 litres	252 kg	134 kg

Imprimé par **Webcom Inc.** sur du papier
Legacy Trade Book White 30% à contenu postconsommation de 30 %.

FSC

Sources Mixtes
Groupe de produits issu de
forêts bien gérées et de bois
ou fibres recyclés
Cert no. SW-COC-002358
www.fsc.org
© 1996 Forest Stewardship Council

[1]L'estimation des effets sur l'environnement a été faite au moyen du calculateur «Environmental Defense Paper Calculator».

Table des matières

1/ Conversation téléphonique

Je m'appelle Junie B. Jones. Le B, c'est la première lettre de Béatrice. Je n'aime pas ce prénom-là, mais le B tout seul, j'aime bien ça!

Ce matin, je me suis réveillée de très bonne humeur! Parce qu'aujourd'hui, c'était la journée sportive à mon école!

Je n'arrêtais pas de crier cette bonne nouvelle. J'ai crié à mon chien Tickle :

— C'est la journée sportive! C'est la journée sportive!

Après, j'ai couru dans la chambre de mon frère. Il dormait dans son lit de bébé.

— C'est la journée sportive! C'est la

journée sportive! ai-je crié à bébé Ollie.

Il s'est réveillé d'un seul coup. Il a commencé à crier à pleins poumons.

Maman est arrivée en courant.

— Junie B. Jones! Qu'est-ce qui te prend, ce matin?

Je l'ai regardée avec curiosité.

— C'est la *journée sportive*! C'est ça qui me prend, maman. Comment as-tu pu oublier une journée aussi importante? J'en ai parlé toute la semaine, tu ne te souviens pas? La journée sportive, c'est quand la classe numéro neuf affronte la classe numéro huit. Il va y avoir des courses et toutes sortes d'épreuves.

Ollie a continué de crier.

— Peux-tu le faire taire, s'il te plaît? ai-je demandé à maman. Il va gâcher ma bonne humeur.

Maman l'a pris et lui a tapoté le dos.

— Heureusement que cette journée

sportive est enfin arrivée! a-t-elle dit. Peut-être qu'on va pouvoir parler d'autre chose, maintenant.

J'ai dansé autour d'elle.

— Oui, maman! On *va* pouvoir parler d'autre chose. Après la journée sportive, on *va* pouvoir parler de la victoire de la classe numéro neuf! Youpi!

J'ai sauté sur place.

— Tu vas venir me voir, hein, maman? Et papa aussi? Parce que la classe numéro neuf va écraser la classe numéro huit dans toutes les courses, probablement. Alors, on va avoir besoin d'encouragements et de beaucoup d'applaudissements.

Maman a *éroubiffé* mes cheveux.

— Ne t'en fais pas, nous serons là. Je pense que mamie et papi Miller viendront aussi.

— Hourra! ai-je crié. Hourra pour toute la belle grande famille!

Je suis sortie de la chambre en courant. J'ai appelé ma meilleure amie Grace au téléphone.

Et vous savez quoi? Je n'ai même pas eu besoin de chercher son numéro dans l'annuaire! Parce que j'avais enfin réussi à le mémoriser dans ma tête!

Son numéro, c'est 555-5555. Et c'est un numéro difficile à mémoriser, je vous le dis! Je n'arrêtais pas d'oublier le 5.

J'ai appuyé sur les touches en faisant bien attention.

— Allô? a fait une voix.

J'ai froncé les sourcils.

— Grace? Tu as une drôle de voix. Comment ça se fait que tu n'as pas la même voix que d'habitude? As-tu un chat dans la gorge?

Tout à coup, je me suis exclamée :

— Oh, non, Grace! Tu n'as pas attrapé le *rhume*, j'espère? Tu ne peux pas être malade aujourd'hui! C'est la journée sportive! Et tu es la plus rapide à la course de toute la maternelle. Va dire à ton père que tu dois venir à l'école, Grace. Va lui dire tout de suite! Vite!

La voix a encore parlé :

— Je *suis* le père de Grace.

Alors j'ai regardé le téléphone.

— Oh, bonjour, M. Grace, ai-je dit. Pas étonnant que votre voix avait l'air différente. Parce que vous n'êtes pas Grace, c'est pour ça. Où est Grace, au fait?

Peu de temps après, Grace a dit allô.

— Grace! C'est moi, Junie B. Jones! Je suis contente d'entendre ta voix! Tu n'es pas malade, hein, Grace? Tu vas venir à la journée sportive?

Grace a eu un petit rire.

— Évidemment que je viens à la journée sportive, voyons. Il *faut* que je sois là. Tu sais bien que je suis la plus rapide de la maternelle!

J'ai encore froncé les sourcils.

— Ouais, mais il faut que je te dise, Grace. Tu ne devrais pas te vanter comme ça. Mon papi Miller dit que ça s'appelle se lancer des fleurs. Et ce n'est même pas poli.

Grace a soupiré très fort.

— Je *ne* me lance *pas* des fleurs, Junie B. Je dis juste la vérité. Il y a plein d'enfants super lents dans notre classe. Comme Lucille, qui ne court pas vite parce qu'elle ne veut pas transpirer. Et toi, tu n'es pas très *rapide* non plus, Junie B.

J'ai aspiré mes joues en entendant ça.

— Ouais? Et alors?

— Et alors, je vais vous donner une bonne avance, a-t-elle dit. Parce que je suis la seule de nous tous qui sois rapide.

J'ai fait une grimace grincheuse.

— Tu viens encore de te lancer des fleurs, Grace.

— Non.

— Oui.

— Non!

— Oui!

À ce moment-là, ma mère m'a appelée.

— Bon, je dois y aller, Grace. À plus tard!

— À plus tard!

On a raccroché toutes les deux. J'ai gambadé jusqu'à la cuisine pour manger mon déjeuner.

J'étais très contente. Parce qu'une bonne conversation téléphonique avec une copine, ça permet de commencer la journée du bon pied!

2/ C-A-P-I-T-A-I-N-E

Ce jour-là, à l'école, les enfants étaient très excités dans la classe numéro neuf. Tout le monde riait, sautait et criait.

Moi et mes meilleures amies, Grace et Lucille, on courait et on gambadait dans la classe. Parce qu'on voulait se réchauffer les muscles pour la journée sportive!

Tout à coup, mon enseignante a crié nos noms.

— Lucille! Junie B.! Grace! Allez vous asseoir, s'il vous plaît.

On a arrêté d'un coup.

Mon enseignante s'appelle Madame.

Elle a un autre nom, mais je ne m'en
souviens jamais. Et puis, j'aime bien dire
Madame tout court.

— Ouais, sauf qu'on ne devrait pas
arrêter de bouger, ai-je dit. Parce que Grace
dit qu'il faut réchauffer nos muscles pour

la journée sportive. Si on ne réchauffe pas nos muscles, nos jambes vont avoir des crabes.

— Des crampons, a dit Lucille.

— Des *crampes*, a dit Grace.

Madame a fait un petit sourire.

— Vous aurez tout le temps de vous échauffer dehors, les filles. Pour l'instant, nous avons une tâche très importante. Il faut choisir un capitaine pour notre équipe.

Tout le monde a recommencé à s'agiter.

Un garçon appelé Jim-la-peste a agité sa main devant la figure de Madame.

— Moi! Moi! Choisissez-moi! a-t-il crié. Je suis un bon capitaine!

— Non! Moi, Madame! a crié un autre garçon qui s'appelle Paulie Allen Puffer. Je suis meilleur que lui!

— Non! Moi! Je suis la plus rapide de

toute la maternelle! s'est écriée Grace.

Madame s'est assise à son bureau. Elle a croisé les bras et a attendu que les cris s'arrêtent.

Je me suis précipitée à son bureau.

— Madame, vous savez quoi? Moi, je n'ai même pas crié! Avez-vous entendu? Hein? Avez-vous entendu que je n'ai pas crié? J'étais la seule de toute la classe à ne pas crier, je pense.

J'ai tiré sa manche.

— Peut-être que vous pourriez me récompenser pour mon bon comportement, ai-je dit. Hein, Madame? Qu'est-ce que vous en pensez? Peut-être que vous pourriez *me* nommer capitaine de la journée sportive. Parce que ça donnerait une bonne leçon aux autres élèves, probablement.

Madame s'est levée. Elle m'a ramenée jusqu'à mon pupitre et a pointé son doigt vers moi.

— Assieds-toi et reste ici, a-t-elle dit.

Elle est retournée à son bureau et a pris un panier.

— Les enfants, écoutez-moi bien. Dans ce panier, il y a 16 morceaux de papier pliés. Quinze papiers n'ont rien d'écrit dessus et un seul porte le mot *capitaine*. Celui ou celle d'entre vous qui pigera ce papier sera capitaine de notre équipe pour la journée sportive.

Madame a fait circuler le panier dans la classe. Elle s'est arrêtée à chaque table pour que chacun des élèves prenne un papier.

— Gardez vos papiers pliés jusqu'à ce que tout le monde ait pigé. Vous les ouvrirez tous en même temps.

Mon estomac était tout énervé. Je ne voulais pas que quelqu'un d'autre pige le papier du *capitaine*, c'est pour ça.

Quand Madame est arrivée à mon pupitre, mon cœur battait très vite.

Elle m'a tendu le panier. J'ai avancé la main avec grande précaution. J'ai fouillé, fouillé dans le panier.

Madame a tapé du pied.

— S'il te plaît, Junie B., piges-en un, d'accord?

— Ouais, sauf que mes doigts n'ont pas encore touché le bon papier, ai-je répondu. J'attends de recevoir les bonnes *vigrations*.

— *Vibrations*, a dit Madame.

— C'est ce que je disais.

J'ai continué de fouiller.

— Pour l'amour du ciel! a dit Madame. *Prends-en* un!

Alors, je me suis dépêchée de prendre un tout petit papier dans le panier. Puis j'ai attendu patiemment que tous les autres enfants aient pigé.

Madame a souri.

— Bon, je vais compter jusqu'à trois et vous déplïerez vos papiers. Un... deux... trois!

J'ai ouvert le mien.

J'ai poussé une *esclamation* de surprise.

Parce que je voyais des *lettres*, c'est pour ça!

— MADAME, MADAME! REGARDEZ! MON PAPIER A DES LETTRES DESSUS! JE PENSE QUE C'EST LE MOT *C-A-P-I-T-A-I-N-E*!

J'ai couru en avant de la classe pour lui montrer le papier.

Et vous savez quoi?

Elle a dit que j'avais raison!

J'ai gambadé en rond.

— YOUPI! YOUPI! C'EST MOI, LES AMIS! C'EST MOI LA CAPITAINE!

Je riais, je dansais et je tapais des mains.

Mais vous savez quoi? Personne d'autre ne tapait des mains avec moi.

3/Cape et éclair

Madame s'est approchée de moi. Elle m'a demandé d'arrêter de danser.

— Ouais, sauf que je ne peux pas empêcher mes pieds de bouger, ai-je dit. Ils sont trop contents d'être capitaine de l'équipe!

Je me suis mise à sauter sur place.

— J'ai toujours voulu être la chef des élèves! Et maintenant, je suis leur capitaine! *Capitaine*, ça veut dire chef! Pas vrai Madame?

À ce moment-là, ma bouche s'est ouverte toute grande. Parce que je venais de penser à quelque chose de merveilleux!

— Madame! Hé, Madame! Capitaine, c'est aussi autre chose! *Capitaine*, c'est le nom d'un superhéros, je pense!

J'ai tapé des mains.

— Oui! Oui, j'ai déjà entendu ça! J'ai entendu parler d'un superhéros qui s'appelait Capitaine Quelque Chose. Alors, c'est encore mieux que ce que je pensais!

Je me suis serrée dans mes bras, toute contente.

— Peut-être que je pourrais porter un costume de superhéros! Comme un léotard et des collants! Et une cape! Et aussi une ceinture avec un éclair!

Madame a levé la main en l'air.

— Holà! a-t-elle dit.

Elle m'a amenée dans le couloir. Elle s'est accroupie à côté de moi.

— Junie B., tu ne comprends pas ce que

c'est, un capitaine d'équipe. Les capitaines ne sont pas des superhéros, pas du tout.

J'ai froncé les sourcils.

— Pourquoi? Pourquoi ils ne sont pas des superhéros? Les capitaines sont des chefs, non?

— Non, a dit Madame en secouant la tête. Pas dans ce cas-ci. En tant que capitaine, tu dois *soutenir* ton équipe. Tu dois faire en sorte que ton équipe reste *unie*. Tu sais ce que ça veut dire, Junie B.? Tu as déjà entendu le mot *uni*, n'est-ce pas?

J'ai *fléréchi* très fort. Mais je ne m'en souvenais pas.

Madame me l'a expliqué.

— *Unir*, ça veut dire mettre les gens ensemble, Junie B. Une capitaine d'équipe doit s'assurer que ses coéquipiers travaillent ensemble et gardent le moral. Au lieu de leur donner des ordres, elle doit les encourager. Penses-tu être capable de faire ça?

J'ai froncé les sourcils. Parce que je ne m'attendais pas à ce genre de travail. Finalement, j'ai haussé les épaules.

— Je suppose que je peux le faire, ai-je dit d'une petite voix. Mais j'aimerais quand même avoir une cape.

J'ai regardé Madame d'un air sérieux.

— J'aimerais vraiment beaucoup ça, Madame.

Madame s'est relevée.

— Eh bien, je suppose que si on cherche dans la classe, on pourrait trouver une serviette à épingler sur tes épaules. Est-ce que ça t'irait?

Mes yeux se sont agrandis. Puis j'ai sauté très haut dans les airs.

— Parfait! Une serviette, ce serait parfait, Madame! Comme ça, j'aurais l'air d'une vraie Capitaine des sports! En plus, je pourrais m'essuyer les mains de temps en temps!

J'ai couru jusqu'à l'évier au fond de la classe numéro neuf. Et vous savez quoi? Madame a trouvé une serviette dans un placard. Elle était rouge!

Elle l'a épinglée sur mes épaules.

J'ai couru partout dans la classe.

— Regardez-moi, Madame! Regardez-moi! Je suis aussi rapide que l'éclair avec ce truc!

Finalement, Madame m'a prise par la main et m'a amenée près de la porte.

— Les enfants, c'est l'heure d'y aller. Placez-vous en file derrière votre capitaine.

Je me suis retournée pour les regarder.

— C'est moi, les amis! Je suis votre capitaine! Je suis celle avec la cape rouge! La cape va vous rappeler que je suis la Capitaine des sports!

Tous les élèves se sont mis à grogner et à grogner encore. Sauf que je ne savais pas

pourquoi.

Ils se sont placés derrière moi et on est sortis dans la cour.

Puis on a attendu que la classe numéro huit sorte.

La journée sportive allait commencer!

4/ Thelma, la nouvelle

Je connais deux personnes dans la classe numéro huit.

Je connais un garçon qui s'appelle le Beau Warren. C'est un nouveau dans notre école.

Avant, j'étais amoureuse de lui. Sauf que maintenant, je ne le vois pas très souvent. Alors, il est juste Warren.

Je connais quelqu'un d'autre dans la classe numéro huit. Son nom, c'est Thelma, la nouvelle.

Le premier jour où elle est venue à notre école, mon petit ami, Ricardo, lui a couru après partout dans la cour.

Je lui ai crié d'arrêter. Mais il disait que c'était amusant de courir après Thelma. Alors, c'est comme ça qu'il m'a plaquée.

Plaquée, c'est un mot d'adulte pour dire qu'on doit se trouver un autre Ricardo.

Tout à coup, la porte de l'école s'est ouverte et la classe numéro huit est sortie en courant dans la cour.

L'enseignante de la classe numéro huit était en avant. Elle tenait la main d'une fille.

J'ai poussé une *esclamation*. Parce que c'était la Thelma, la nouvelle! C'était elle, la capitaine de la classe numéro huit, je pense!

Madame m'a souri.

— Bon, Junie B., voici ce qui va se passer. Toi et la capitaine de l'autre équipe, vous allez vous serrer la main, et la journée sportive pourra commencer.

Je me suis sentie un peu malade.

— Ouais, sauf qu'il y a un problème, ai-je dit. Je n'aime pas vraiment cette fille.

Alors, je vais serrer la main de son enseignante à la place.

— Non, Junie B., a dit Madame. Ce n'est pas comme ça que ça fonctionne. Les capitaines d'équipe doivent *se serrer la main*. C'est de cette façon que les équipes montrent leur esprit sportif.

Madame m'a fait approcher de Thelma, la nouvelle.

Et savez-vous ce qu'elle a fait?

Cette petite effrontée m'a attrapé la main sans même me le demander!

— Hé! Je te connais, toi! a-t-elle dit en riant. Je t'ai déjà vue dans la cour. Tu es une amie de Ricardo.

Elle a serré ma main très fort.

Je l'ai laissée toute molle.

Madame s'est penchée près de mon oreille. Sa voix n'avait pas l'air contente.

— Souhaite bonne chance à son équipe,

Junie B., a-t-elle chuchoté. *Tout de suite.*

J'ai poussé un gros soupir.

— Bon, d'accord. Bonne chance, Thelma, ai-je ronchonné.

Thelma, la nouvelle, m'a dit bonne chance. Elle a encore essayé de me serrer la main, mais je l'ai enlevée.

— Pas touche, ai-je dit.

Madame a pris mon bras et on est retournées près de mon équipe.

Et vous savez quoi?

J'ai entendu mon papi Miller qui m'appelait!

J'ai levé les yeux. Lui et ma mamie Miller étaient en train de traverser la cour avec mon père et ma mère!

J'ai couru vers eux à toute vitesse.

— Regardez! Regardez-moi! Je suis la Capitaine des sports! Avez-vous vu ma cape? Je suis la capitaine de l'événement sportif de l'année!

Papi Miller m'a souri d'un air fier. Il m'a prise dans ses bras. Il m'a fait voler d'un côté et de l'autre. Comme une vraie superhéroïne!

Puis j'ai entendu Madame souffler dans son sifflet.

Papi Miller m'a posée par terre et j'ai couru retrouver mon équipe.

Parce que la Capitaine des sports arrivait à la rescousse!

5/ Première épreuve

— CAPITAINE DES SPORTS À LA RESCOUSSE! CAPITAINE DES SPORTS À LA RESCOUSSE! ai-je crié à tue-tête.

Je filais comme l'éclair dans toutes les directions. Ma cape flottait dans les airs derrière moi.

Ce truc était merveilleux, je vous le dis!

Je passais en courant à travers les groupes d'enfants.

Tout à coup, Madame a attrapé ma cape. Elle l'a tenue bien serré. Je l'ai regardée de travers.

— Ouais, sauf qu'il y a un problème. Je

ne peux pas voler à la rescousse de mon équipe si ma cape est froissée, ai-je dit.

— Junie B., *s'il te plaît*, a dit Madame. Il faut que tu te calmes. Personne n'a besoin d'être secouru. J'ai sifflé pour qu'on puisse commencer la première épreuve.

L'enseignante de la classe numéro huit a donné un coup de sifflet, elle aussi.

— La première épreuve est une course de relais, a-t-elle dit. Comme les deux classes ont chacune 18 élèves, tout le monde va participer à tour de rôle.

Madame a tracé une ligne dans le gazon pour le départ de la course. Puis elle nous a expliqué les règles.

— Chaque équipe se place en file derrière cette ligne blanche. La première personne court jusqu'à la clôture, revient et touche le concurrent suivant. La course continue jusqu'à ce que tous les membres de l'équipe aient couru. Est-ce que tout le monde a compris?

J'ai bondi dans les airs.

— Oui! ai-je crié. Je comprends super parfaitement! Parce que je suis la Capitaine des sports!

Je me suis approchée de ma meilleure amie Grace.

— Vas-y la première, Grace, ai-je dit. Tu es la plus rapide de la maternelle. Alors, tu dois être à l'avant de la file.

J'ai pris Grace par la main. Je l'ai tirée et l'ai amenée en tête de file.

Sauf que tant pis pour nous. Parce que Charlotte était déjà là.

— Ne passez pas devant moi, a-t-elle dit. J'étais là avant!

J'ai croisé les bras.

— Je sais, Charlotte. Mais je suis la

Capitaine des sports. Et la capitaine dit que Grace la super rapide doit courir en premier. Alors, ôte-toi de là, mademoiselle.

Charlotte a tapé du pied d'un air bougon.

— Non! J'étais là avant, je te dis! a-t-elle répété d'un ton sec.

Grace a souri gentiment à Charlotte. Elle lui a chuchoté un secret à l'oreille.

Et vous savez quoi? Charlotte lui a laissé sa place! Elle a laissé Grace passer en premier!

— Oh là là! ai-je dit. Comment as-tu fait ça, Grace? Qu'est-ce que tu lui as dit?

Grace a levé les épaules.

— Je lui ai juste dit *s'il te plaît*.

Je me suis tapoté le menton.

— *S'il te plaît*, hein? ai-je dit. Il va falloir que je me souvienne de ça.

Madame a donné un coup de sifflet pour qu'on se place en file.

— Tout le monde est prêt? a-t-elle demandé.

— Oui! avons-nous crié.

Puis, Madame a pris sa voix la plus forte :

— À VOS MARQUES... PRÊTS... PARTEZ!

Zoum! Grace est partie comme une fusée!

— VAS-Y, GRACE! VAS-Y! ont crié les élèves de la classe numéro neuf.

Grace a couru jusqu'à la clôture et est revenue à toute vitesse.

Elle a touché la main de Charlotte.

— VAS-Y, CHARLOTTE! VAS-Y! ont crié les élèves de la classe numéro neuf. ON VA GAGNER! ON VA GAGNER!

Après, Charlotte a touché une fille qui

s'appelle Lynnie. Lynnie a touché Jamal Hall. Jamal Hall a touché Ham. Et Ham a touché Paulie Allen Puffer.

La classe numéro neuf a continué comme ça, jusqu'au moment où il ne restait que trois coureurs!

C'était Ricardo, moi et Bébé-lala William.

Ricardo faisait des bruits de voiture de course.

— Vroum, vroum, vroum!

Tout à coup, c'était son tour. Il est parti en courant!

On l'a regardé, William et moi.

— Ricardo court très vite, pour un garçon qui porte des bottes de cow-boy, ai-je dit, plutôt fière.

Bébé-lala William a tiré sur ma cape, impatient. Il m'a chuchoté un secret à l'oreille.

— Je ne suis pas très bon, Junie B. Je ne cours pas vite.

J'ai tapoté sa petite tête de lambin.

— Ne t'inquiète pas, petit William. Je suis la Capitaine des sports, tu te souviens? Je vais nous faire gagner. Je vais courir tellement vite que tu pourras te contenter

de marcher, probablement.

Ricardo est revenu en courant.

— C'est mon tour, William! ai-je crié. Je vais nous faire gagner! Regarde-moi bien!

Ricardo a touché ma main.

Je suis partie aussi vite qu'un lièvre!

J'allais de plus en plus vite, et encore plus vite!

J'ai fait demi-tour à la clôture, et je suis revenue en courant.

Tout à coup, une chose terrible est arrivée!

Ça s'appelait : OH, NON! MON SOULIER EST TOMBÉ DE MON PIED!

Il s'est envolé dans les airs.

Je suis retournée le ramasser.

Les élèves de la classe numéro neuf m'ont crié d'arrêter.

— OUAIS, SAUF QUE VOUS N'AVEZ PAS BESOIN DE VOUS INQUIÉTER! ai-je crié. ÇA NE ME PRENDRA PAS DE TEMPS POUR LE REMETTRE. PARCE QUE, BONNE NOUVELLE...

Je l'ai ramassé et l'ai levé dans les airs.

— ... C'EST DU VELCRO!

J'ai remis mon soulier en un éclair et je suis revenue en courant vers William.

Je lui ai tapé la main.

Sauf que ce lambin est resté là sans bouger.

— Vas-y, William! Vas-y! ai-je crié.

Il a secoué la tête en montrant du doigt la classe numéro huit.

Les élèves de l'autre équipe sautaient sur place et dansaient de joie.

Parce que vous savez quoi?

Ils avaient déjà gagné la course.

6/ Frankie le musclé

Mes coéquipiers n'ont pas été très gentils avec moi.

Ils n'arrêtaient pas de dire que c'était ma faute si on avait perdu la course.

J'ai tapé du pied devant cette classe.

— Non, ce n'est pas ma faute! ai-je répliqué. Mon soulier s'est envolé. Qu'est-ce que je devais faire, moi? Courir en pieds de bas?

Jim-la-peste s'est approché de mon visage.

— Oui, Lubie B. Jones! a-t-il crié. C'est

exactement ce que tu aurais dû faire! Tu
aurais dû courir sans ton soulier!

J'ai *fléréchi* à tout ça.

— Bon, bon. Qui aurait cru ça? ai-je dit
d'une voix douce. On dirait que la
Capitaine des sports a appris une petite
leçon, aujourd'hui.

La classe numéro neuf a grogné.

Je me suis reculée lentement en faisant
attention. Sinon, les élèves m'auraient
attaquée, je pense.

J'ai reculé jusqu'à Madame.

— Ils sont fâchés contre moi. Ils sont
fâchés parce que j'ai perdu la course.

Madame a *éroubiffé* mes cheveux.

— Ce n'est pas ta faute, Junie B. Tu as
perdu ton soulier par accident. De plus, la
journée sportive, ce n'est pas une question
de gagner ou de perdre. La journée

sportive, c'est fait pour s'amuser.

J'ai baissé la tête.

— Ouais, sauf que perdre, qu'est-ce qu'il y a d'amusant là-dedans? J'aimerais bien le savoir, moi.

Madame a déclaré :

— Écoutez-moi, les filles et les garçons! Je ne veux plus entendre un mot sur les gagnants et les perdants, d'accord? La journée sportive, c'est une journée où on court pour s'amuser. On est ici pour prendre l'air et profiter du soleil. Et personne ne doit se préoccuper de savoir qui gagne et qui perd.

Aussitôt que Madame s'est éloignée, Thelma, la nouvelle, s'est approchée de moi en gambadant.

— La classe numéro huit a gagné, a-t-elle dit d'une voix aiguë. Notre classe mène un à zéro!

Je l'ai regardée d'un air fâché.

— Ouais, sauf que tu n'as pas entendu mon enseignante, Thelma? La classe numéro neuf ne veut même pas le savoir, qui gagne ou qui perd. Notre classe est juste ici pour courir en plein air. Alors, tant pis pour toi.

— Ouais, a dit Ricardo.

— Ouais, a dit Jamal Hall.

— Ouais, a dit Lynnie.

Puis ils m'ont tous tapé dans la main. Parce que j'avais bien répondu à cette fille, on dirait.

Ensuite, l'enseignante de la classe numéro huit a encore soufflé dans son sifflet.

— La prochaine épreuve est le lancer de la balle molle. Contrairement à la course de relais, ce n'est pas une épreuve d'équipe. Seuls ceux qui le désirent vont participer. Si vous voulez voir jusqu'où vous pouvez lancer la balle, placez-vous en file derrière moi.

Paulie Allen Puffer était le premier dans la file.

— Je suis un bon lanceur, a-t-il dit. Je

suis probablement le meilleur lanceur de la classe numéro neuf.

Lynnie s'est placée derrière lui.

— Moi aussi, je suis une bonne lanceuse.

— Moi aussi, a dit Jamal Hall.

Bébé-lala William a tiré sur ma cape. Parce qu'il voulait encore me chuchoter un secret, c'est pour ça.

— Je ne suis pas un bon lanceur non plus, a-t-il chuchoté. Je ne suis pas obligé de lancer, hein, capitaine?

J'ai mis mon bras sur ses épaules.

— Non, tu n'es pas obligé, ai-je dit. Ne te fais pas de soucis, William. Paulie Allen Puffer va gagner cette épreuve haut la main.

Tout à coup, un garçon de la classe numéro huit s'est placé dans la file.

Thelma, la nouvelle, a poussé un cri perçant.

— Oooooh! C'est Frankie le musclé! Frankie est le garçon le plus fort de la maternelle! a-t-elle dit, toute contente.

Tout le monde a regardé Frankie.

Il a fait gonfler le muscle de son bras. Son muscle était gros et rond.

Thelma, la nouvelle, a applaudi.

— Vas-y, Frankie le musclé! Vas-y, tu es le plus fort!

J'ai tapoté le bras de cette fille.

— Tu commences à me taper sur les nerfs, madame.

Elle m'a ri au visage.

Cette fille est une idiote, je vous le dis.

Madame a tapé des mains.

— Allez, tout le monde! On va commencer! La première personne à lancer est Paulie Allen Puffer, de la classe numéro neuf. Faites de votre mieux, car chaque personne n'a droit qu'à un essai.

Paulie Allen Puffer a fait un grand sourire.

— Il ne m'en faut pas plus! a-t-il dit. J'ai passé ma vie à lancer des balles molles.

Il a ramassé la balle par terre. Il a pris son élan.

Puis il a lancé la balle de toutes ses forces!

Sauf que tant pis pour la classe numéro neuf. Parce qu'il n'a pas très bien visé et la balle est tombée directement sur le sol.

Elle a fait un trou rond dans la terre.

Toute notre équipe a fixé ce trou des yeux un long moment.

— Zut, ai-je dit.

— Zut, a dit Jim-la-peste.

— Zut, a dit Charlotte.

Paulie Allen Puffer s'est mis à trépigner.

— Je veux un autre tour! Laissez-moi recommencer! S'il vous plaît, Madame!

Mais Madame lui a tapoté le dos et l'a fait sortir de la file.

Je me suis approchée de Grace ma meilleure amie.

— Il a manqué son coup, ai-je dit, très déçue. Paulie Allen Puffer a fait perdre notre équipe.

— Oui, a dit Grace. Exactement comme toi pour la course de relais, Junie B.

Je l'ai regardée en plissant les yeux.

— Merci, Grace. Merci de me remettre ça sous le nez.

— De rien, a-t-elle répliqué.

Grace ne comprend pas le *sarcastique*, on dirait.

Après, d'autres garçons et d'autres filles de notre classe ont lancé la balle. Roger était le meilleur de notre équipe. Il l'a lancée jusqu'à la clôture.

La classe numéro neuf a crié son nom très fort.

— ROGER! ROGER! ROGER!

Le concurrent suivant était Frankie le musclé. Il a pris une balle dans le panier. Il l'a tournée et retournée dans ses mains. Puis il l'a lancée de toute la force de ses muscles.

J'ai retenu mon souffle.

La balle s'est envolée par-dessus la clôture! Et on ne l'a jamais revue!

Les élèves de la classe numéro huit se sont mis à crier, à gambader et à danser. Ils faisaient des pirouettes, des sauts et des bonds.

Les élèves de la classe numéro neuf ont courbé les épaules d'un air déprimé.

Parce que vous savez quoi?

Perdre, ce n'est pas amusant.

7/Un beau gros zéro

La prochaine épreuve était une course à la corde à sauter.

La classe numéro neuf a choisi ses meilleurs sauteurs à la corde : Charlotte, Jamal Hall, Grace, Lynnie et Jim-la-peste.

Ces personnes peuvent sauter à la vitesse de l'éclair, je vous le dis!

J'ai inventé une chanson pour les encourager. Ça s'appelait : *Allez, allez, allez! Sautez, sautez, sautez!*

Voici les paroles :

Allez, allez, allez! Sautez, sautez, sautez!
Allez, allez, allez! Sautez, sautez, sautez!

J'ai chanté très fort devant la classe numéro huit. Parce que je pensais vraiment qu'on allait la gagner, cette course.

Sauf que vous savez quoi?

On ne l'a pas gagnée.

Certains de nos sauteurs ont pleuré un petit peu.

— On a encore perdu, a dit Lynnie en reniflant.

— Ouais, ils nous ont battus à *plates coutures*, a renchéri Jamal Hall.

— Notre score, c'est un beau gros zéro, a dit Grace.

— Un beau gros zéro pour une bande de nuls, a dit Jim-la-peste d'un air découragé.

Madame n'a pas apprécié ce genre de commentaires.

— Holà, ça suffit! a-t-elle dit. Je suis très fière de vous. Vous avez fait de votre mieux et c'est ce qu'on vous demandait. N'est-ce pas, Junie B.?

— Oui, ai-je dit. Et aussi, ce serait bien de gagner une course.

Je me suis assise. Madame m'a regardée très longtemps.

— La prochaine épreuve est le tir à la corde, a-t-elle dit. Il nous faudrait quelques paroles d'encouragement de la part de notre capitaine d'équipe, question de retrouver le moral. Qu'en dis-tu?

— Non, merci, ai-je répondu. J'ai déjà encouragé l'équipe de saut à la corde, et regardez ce que ça a donné.

Madame m'a regardée avec des yeux plissés.

— Essaie, a-t-elle dit.

Je me suis levée.

— Hourra, ai-je dit.

— Merci, a dit Madame.

Je me suis rassise.

Nous nous sommes placés en file pour le tir à la corde.

La classe numéro huit tenait un bout de la corde. Notre classe tenait l'autre bout.

Madame a attaché une boucle au milieu de la corde. Ensuite, elle a tracé une ligne sur le sol devant chaque équipe.

— L'équipe qui réussira à faire passer la boucle de l'autre côté de sa ligne remportera la victoire. Êtes-vous prêts?

— OUI, OUI! a crié la classe numéro huit.

Les élèves de notre classe se sont contentés de regarder Madame.

William était derrière moi.

— Je ne suis pas bon à ce jeu, Junie B., a-t-il chuchoté. Je n'ai jamais joué au tir à la corde avant.

— Tu n'es pas le seul! ai-je ronchonné.

L'enseignante de la classe numéro huit a

soufflé dans son sifflet. Les deux équipes ont commencé à tirer.

La classe numéro neuf a tiré de toutes ses forces.

— Les amis! On va les avoir! me suis-je écriée, très surprise.

On a continué à tirer.

Tout à coup, on a entendu un grand cri.

C'était Frankie le musclé.

Il a tiré la corde de tous ses muscles.

Lynnie et Ricardo sont tombés par terre.
Et la boucle a traversé leur ligne.

Les élèves de la classe numéro huit
étaient fous de joie. Ils riaient et criaient à
tue-tête.

Notre équipe est allée tristement boire
de l'eau à la fontaine.

Après, on s'est assis contre le mur. On

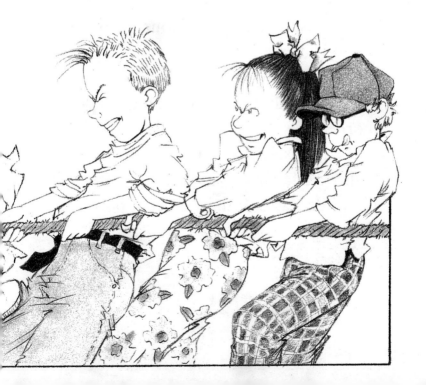

n'a pas parlé pendant de longues minutes.

Finalement, Madame est venue nous voir.

— Allez, les enfants. Il ne reste plus qu'une épreuve.

Elle nous a amenés à la barre de tractions.

L'enseignante de la classe numéro huit nous a fait un grand sourire.

— C'est l'heure du concours de tractions, a-t-elle dit.

Paulie Allen Puffer l'a regardée.

— Youp-di-dou, a-t-il dit d'une voix morne.

Cette enseignante rapporteuse est allée le dire à Madame. Paulie Allen Puffer a été obligé de s'asseoir dans un coin pour *fléréchir*.

Madame n'était pas contente de nous.

— Les enfants, je comprends pourquoi vous n'êtes pas de bonne humeur. Mais une des choses qu'on apprend pendant la journée sportive, c'est qu'il ne faut jamais se décourager. La classe numéro neuf a du cœur au ventre, hein, Junie B.?

J'ai regardé les visages de mon équipe.

— Heu, je pense que non.

Madame a levé les mains en l'air.

— Bon, ça suffit! a-t-elle dit. Je ne vais pas vous laisser baisser les bras. Il y a sûrement *quelqu'un* dans la classe numéro neuf qui a le courage de continuer. Lequel d'entre vous veut tenter sa chance? Hein? Toi, Jamal? Veux-tu essayer de faire des tractions pour ton équipe?

Jamal Hall a levé son chandail devant son visage pour que personne ne puisse le voir.

— Je pense que ça veut dire non, ai-je dit.

Madame a regardé les élèves.

— Et toi, Grace? Aimerais-tu essayer?

— Non, a-t-elle dit. Je *ne peux pas*. J'ai

seulement de la force dans mes pieds.

— Pas moi! a crié une voix forte. *J'ai* de
la force dans tout mon corps!

On s'est retournés. C'était Frankie le
musclé, encore.

Il m'a encore montré son bras musclé.

J'ai tapé du pied.

— Arrête de faire ça, Frankie! ai-je crié.
Arrête de te lancer des fleurs! Ce n'est pas
poli! De toute façon, il y a des personnes
très fortes dans notre classe! Des personnes
qui peuvent faire des gazillions de
tractions!

Frankie le musclé a croisé ses bras
musclés.

— Comme qui? a-t-il demandé.

J'ai mis mes mains sur mes hanches.

— *Plein* de monde! Comme, heu,
comme...

À ce moment-là, un garçon de la classe numéro neuf a levé la main timidement.

— Comme moi, a-t-il dit.

Il s'est levé et s'est approché de la barre de tractions. Il est resté planté là tout seul.

J'étais bouche bée.

Les autres enfants aussi.

Parce que vous savez quoi?

Ce garçon, c'était William.

8/William

Toute la classe numéro neuf a fixé William des yeux.

— Regarde ses petits bras, a chuchoté Grace. Où sont tous ses muscles, à ton avis?

— William *n'a pas* de muscles, a dit Paulie Allen Puffer. Je l'ai déjà vu se faire pousser par le vent dans la cour d'école.

— Ouais, a dit Roger. Je parie que William ne sait même pas ce que *c'est*, une traction. Notre équipe va avoir l'air plus ridicule que jamais.

Madame a claqué des doigts, l'air fâché, dans notre direction. Elle a l'oreille fine, je vous le dis.

Frankie le musclé a commencé le premier.

L'enseignante de la classe numéro huit l'a soulevé jusqu'à la barre.

Et hop, il a poussé un grognement et a monté son menton jusqu'à la barre.

— UN! a crié la classe numéro huit.

Frankie le musclé a grogné et s'est encore soulevé.

— DEUX! a crié sa classe.

Il a continué à grogner et à monter jusqu'à la barre. La classe numéro huit comptait :

— TROIS!

— QUATRE!

— CINQ!

— SIX!

— SEPT!

Finalement, Frankie s'est laissé tomber par terre.

— SEPT! FRANKIE EN A FAIT SEPT! a crié Thelma, la nouvelle.

Les élèves de notre classe se sont assis dans l'herbe tout déprimés.

Parce que c'était le tour de William, c'est pour ça.

On a caché nos yeux et regardé entre nos doigts.

Madame l'a soulevé jusqu'à la barre.

Ce n'était pas agréable à regarder. Parce que William restait suspendu à la barre sans bouger. Il ne bougeait pas un seul muscle.

La classe numéro huit a commencé à rire. C'était un rire méchant et bruyant.

J'ai montré mon poing à ces ricaneurs.

— Hé! Vous allez y goûter! ai-je crié,
très en colère.

Madame a encore claqué des doigts.

Tout à coup, William a bougé un peu
ses jambes.

Puis il a donné des coups de pied dans le
vide.

Puis... oh, oh, oh!

Son menton est monté jusqu'à la barre!

Et ce n'est pas tout! Après être descendu,
il est remonté aussitôt!

Je me suis levée d'un bond!

— DEUX, WILLIAM! TU AS FAIT
DEUX TRACTIONS! TU N'AS MÊME
PAS GROGNÉ! ai-je crié, toute contente.

William est remonté.

Ma bouche s'est ouverte toute grande.

— TROIS, WILLIAM! TU EN AS FAIT
TROIS!

Toute la classe numéro neuf s'est mise

debout.

— QUATRE, WILLIAM! QUATRE!

— CINQ, WILLIAM!

— SIX!

— SEPT... HUIT... NEUF... DIX!

William est resté suspendu encore un peu.

Il a bougé ses jambes encore une fois.

Et vous savez quoi?

— ONZE!

C'était le plus beau jour de toute la maternelle!

Quand William est retombé, toute la classe numéro neuf s'est empilée sur lui.

— WILLIAM! TU AS RÉUSSI! TU AS GAGNÉ! avons-nous crié, fous de joie.

On a entendu une voix étouffée.

Je pense qu'elle disait :

— Vous m'écrasez.

On s'est relevés. On a remis William debout.

Toute la classe s'est mise à danser autour de ce champion. On a essayé de le mettre sur nos épaules. Parce qu'il était notre héros, c'est pour ça! Sauf que nos épaules n'arrêtaient pas de s'écrouler. Et aussi, les souliers de William nous donnaient des coups de pied dans la figure.

Tout à coup, une idée brillante est apparue dans ma tête!

— Les amis! Attendez! Je sais comment montrer à William qu'il est notre héros!

J'ai chuchoté mon idée à Madame.

Elle a enlevé ma cape rouge de mes épaules et l'a épinglée sur les épaules de William! *Et-zaquetement* comme je lui avais demandé!

— William a sauvé notre équipe! ai-je dit. Il est notre superhéros. Son nom devrait être *Super* William, je pense!

William a fait un grand sourire. Il s'est mis à courir dans la cour d'école. Sa cape flottait derrière lui.

Madame a souri.

— Vous voyez, les enfants? Vous voyez ce qui arrive quand on n'abandonne pas?

William est revenu en courant à côté de nous.

— Mais je ne comprends toujours pas, William, ai-je dit. Comment as-tu fait ça? Comment as-tu réussi 11 tractions? Parce que des tractions, c'est très difficile!

William a souri, gêné.

— Je me suis exercé, a-t-il dit. J'ai reçu une barre de tractions pour Noël. Et je m'entraîne tous les jours.

Le papa de William s'est approché de

nous. Il a mis Super William sur ses
épaules.

Après, on a marché tous ensemble
jusqu'à la classe numéro neuf. C'était
comme un joyeux défilé!

Il y avait une autre bonne nouvelle! Nos
familles sont venues dans la classe manger
des biscuits avec nous. Et elles étaient fières
de notre équipe!

Ma famille m'a donné plein de câlins.

Ma mamie Miller a aussi donné un câlin
à Super William. Papi Miller l'a fait voler
dans les airs. William adorait sa cape, je
vous le dis!

Et vous savez quoi?

Je ne lui ai même pas demandé qu'il me
la redonne. Pas pour tout le reste de la
journée.

— C'est très gentil de ma part, me suis-je dit. Je suis une bonne capitaine d'équipe.

Après, j'ai éclaté de rire.

Parce que je venais de me lancer des fleurs!

Mot de Barbara Park

« J'aurais adoré avoir une journée sportive quand j'étais à l'école primaire. Pour faire de l'exercice! Pour l'*esprit d'équipe*! Et surtout, PAS d'examens!

Heureusement, mes deux fils ont eu des journées sportives à leur école. Au printemps, mon mari et moi avions hâte d'aller les encourager. Bien sûr, comme la plupart des parents, nous passions beaucoup de temps à essayer de les convaincre que ce n'était pas important de gagner. Nous leur disions que dans les sports, l'important, c'est de *participer*.

Ils ne nous croyaient pas.

Comme la classe numéro neuf.

Bon, d'accord. Peut-être que ce n'est pas amusant de perdre. Mais comme l'ont découvert Junie B. et son équipe, même quand la situation semble désespérée, la vie nous réserve parfois de belles surprises. »